나는 오늘도 죽었습니다——

차례

들어서는 말

초록이 주는 편안을 물리칠 수 없습니다.
형형색색의 꽃이 주는 기쁨을 무시할 수
없습니다. 꽃 하나, 나무 한 그루가 사랑
한 명과 다를 바 없습니다. 나를 부지런
하게 만들며 겸손하게도 만듭니다. 그런
보살핌이 아이가 자라듯 식물을 자라게 했
습니다. 여리지만 굳세게 싹 틔우고 크게
볼 품 없을 때도 자신을 살 찌우며 결국
에는 화려하게 꽃 피울 줄 아는 현명
함이 있습니다. 내가 주는 햇빛 한 뼘,
물 한 모금에 감사할 줄 아는 의리가 있
습니다. 그리고 나를 진정시키는 위로의 재
주도 있습니다.
나는 오늘도 이 친구들이 주는 행복을 맛보며
잘 보살피지 못한 미안함을 담아 속삭여 봅니
다. 고마워!

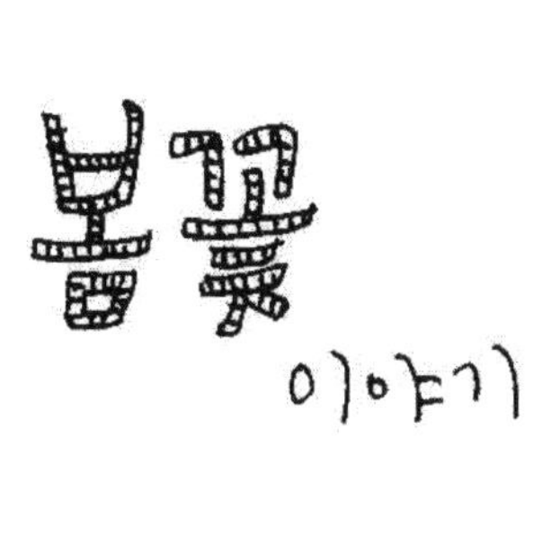
봄꽃
이야기

튤립 이야기

화려한 색으로 세상 모든 눈을 유혹합니다.
자기만 보라고 한 모꼬지에 한 송이씩
피워냅니다. 입안 가득 블랙홀마냥 진하디
진한 색을 내뿜었다가 밤에는 조신한 척
입을 오므립니다. 이런 내숭도 전혀 밉지가
않습니다.

매콤하게 쌀쌀한 날, 햇빛이 잘 드는 담을
따라 양파같은 알뿌리 스무 알을 심었습니다.
알뿌리 크기보다 두 뼘 깊이 심고는 토닥토닥
추위를 잘 견디라고 응원했습니다. 이런 추
위가 이 녀석들을 곧고 화려하게 꽃 피우
도록 단련시키나 봅니다.

100밤이 지나 햇살이 슬슬 찬 바람을 뚫
고 넓게 넓게 자리하기 시작했습니다. 알
뿌리에서 초록초록하지만, 탱글한 싹이 쏘
옥 올라왔습니다. 그런데 세 알이 감감무소

시입니다. 왜 그러나 캐보았더니 이런…….
까맣게 짓물러져 있네요.

지난 해, 땅에서 알뿌리를 캐내기 전 너무
서둘렀나봐요. 꽃이 지고 잎이 노랗게 시들 때
까지, 다음을 위해 땅에서 에너지를 끌어모
을 때까지. 일년살이 마무리를 다 하고
잠을 잘 준비가 되었을 때까지 기다렸어
야 했는데 재촉하며 캐버렸나 봅니다.
그러니 단단히 여물지 못해 땅 속 추위를
이기지 못한 것이었습니다.

무엇이든 준비가 되기도 전에 다그치면
큰일납니다. 꿈도 뺏고, 친구도 뺏고, 새
날도 뺏고 생명까지 빼앗아버립니다. 시
간은 각자의 시간대로 흘러야 하는 것을
튤립의 눈물을 보고서야 깨닫습니다.

튤립의 말

– 나는 당신을 사랑합니다

조팝 이야기

나풀 나풀 하늘하늘거리는 몸짓에 마음을 빼앗깁니다. 날렵하면서도 하찮지 않고 우아합니다. 초록 줄기마다 윤슬이 맺힌 듯 꽃도 겸손한 크기로 달려 있습니다. 그 모습에 마음을 빼앗겨 한 움큼 캐다가 집안으로 들였습니다. 아무래도 노상에 있던 녀석이라 흙을 그대로 가져올 수 없어 배수가 시원하게 잘 되는 마사토에 옮겨 심었습니다. 내 입맛에 맞게 가지치기도 하고 외롭지 말라고 작은 다육이도 같이 심었습니다.

어머! 햇볕이 내리쬐자마자 하얀 꽃과 작은 이파리들이 몽글몽글 튀어 나왔습니다. 콧노래가 절로 나오도록 이뻤습니다. 그런데 내가 게을렀습니다. 햇볕도 잘 들고, 물 빠짐도 시원하고, 꽃도 막 피어나는 만큼 물을 매일 주었어야 하는 것을 홀랑 잊어먹은 것입니다.

한 달 내내 나풀거리는 꽃을 피웠을 나무를 열흘 만에 말려버린 것입니다. 그대로 노상에 두었으면 훨씬 더 웅장하게 아름다움을 뽐내며 자랐을 친구를 내 욕심과 게으름으로 잃어버렸습니다.

말라 비틀어진 꽃들 사이에 겨우 붙어있는 몇 가닥의 가지들이라도 살려 보려 다시 원래 집으로 이사를 시켰습니다. 환경이 변하면 그 이상의 관심과 정성이 필요한 것을 그저 스스로 잘 견뎌주기만 바란 나의 안이함을 나무랐습니다. 나에게 이만큼의 기쁨을 주는 존재에겐 나도 그만큼의 보답을 해야 하는 것을 내가 너무 이기적이었네요.

조팝의 말

– 이런, 헛수고를 하셨군요.

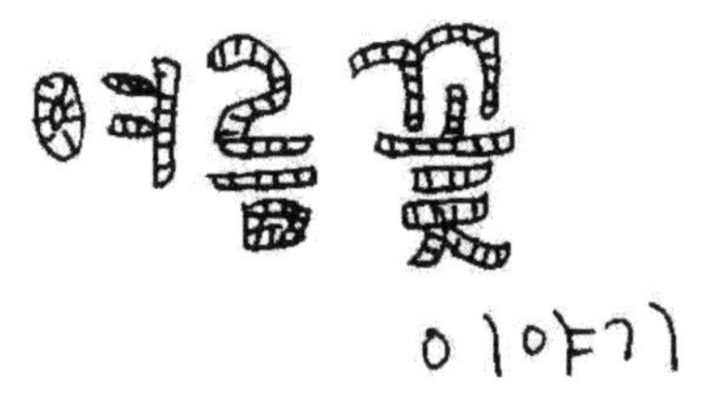
여름꽃
이야기

수국 이야기

햇살이 레이저처럼 쏘아붙이려 할 때 수국은 반짝반짝 얼굴을 드러냅니다. 그런 자외선이 쪼아대는 날씨에도 수국 얼굴에는 얼룩덜룩 기미는 커녕 알록달록 홍조가 피어납니다. 초록초록했다가 하얬다가 파랬다가 또 보라보라 합니다. 별들을 한 움큼 집어다가 묶어놓은 보송한 구름 덩어리 같기도 합니다.

한여름, 꽃이 사그라지고 난 뒤 창가에 자리잡은 수국을 앞에 앉히고 이리저리 모양을 살폈습니다. 너무 덥수룩했습니다. 새로 이쁘게 태어나라고 전체적으로 가지를 시원스레 잘랐습니다. 그리고는 햇빛이 잘 드는 창가에 두고, 잘린 가지들은 모아 새 집으로 옮겨 심어 뿌리를 내리도록 했습니다. 좀 빨리 자리 잡으라고 창문 너머 야외에 내놓았습니다. 바람도 쐬고 햇빛도 왕창

찌라구요. 그런데 한여름이 지났더라도 여전히 레이저 햇빛이었습니다. 아뿔싸! 미처 안으로 들여놓지 못했던 수국의 잎들이 햇빛에 화르륵 탔지 뭐여요. 레이저 햇빛을 상처 난 온몸으로 받아내고 있었으니 어쩌란 말인지……

아무리 손쉽고 무던한 식물이라도 상처입은 순간에는 회복할 힘이 생기도록 토닥이며 기다려야 하는 것을 무시했습니다. 작은 생채기도 보듬어야 흉터없이 아무는 것을 그저 더 많은 수국 가족만 만들어지길 바라면서 부담만 주었던 것입니다.

타버린 잎을 떼어내고 앙상한 줄기만이라도 다시 살려보려고 물에 담구었습니다. 보살핌을 받고 있는 존재인지 아닌지는 사람이 아니어도 다 느낍니다.

수국의 말

– 당신의 마음을 이해하며
감사하고 또 사랑합니다

HAPPY

라벤더 이야기

코끝을 알싸하니 확 찔렀다가 또 금세 눈을 번쩍 뜨이게 하는 향기를 내뿜습니다. 무언가 기분을 변화시켜 주는 냄새다 했더니 아니나 다를까 스트레스를 줄여주는 효능이 있답니다. 날씬하고 도도한 꽃과, 아주 살짝 보송한 솜털과, 산뜻하고 찌릿한 향기로 사람들을 유혹합니다. 보라빛 향기는 이 친구를 말하는 건가 봅니다.

매력이 많아 그런가 실내에서 키우기 여간 까탈스러운 게 아닙니다. 물론 너른 들판에서 키운다면야 더할 나위 없이 좋겠지만 내 옆에 두고 싶다는 욕구와 현실적 공간의 제약 때문에 실내에서 키워보는데 애를 참 많이 태웁니다.

정말 정말 축축한 것을 싫어합니다. 이 정도 습기는 견딜 수 있겠지 싶어 분갈이를 미루었더니 고개를 숙였습니다. 그래서 목이 마

크겠거니 하고 물을 주었더니 더 고꾸라졌습니다. 화분을 뒤집었더니 아래 물이 고여 있었습니다. 다른 라벤더를 또 들였습니다. 축축하지 않도록 모래가 많은 흙에 심었습니다. 이번에도 고개를 살짝 숙이고 있길래 전과 같은 증상일 듯하여 물을 주지 않았습니다. 그런데 이제는 아래에서부터 바스러지기 시작했습니다. 이번에는 목이 말랐던 것이었습니다. 물을 다시 줄 기회도 주지 않고 냉정하게 바스러졌습니다.

그때를 놓치면 한순간에 후회하게 됩니다. 고개를 숙였던 건 쉽게 넘겨짚지 말고 나를 자세히 봐달라는 애원이었나 봅니다. 언제든 무엇이든 '때'가 중요한 것을 이것을 맞추기가 어찌 이리 힘들까요?

라벤더의 말

- 침묵의 말을 들어 보세요.

가을꽃 이야기

꽃무릇 이야기

하늘을 향해 태양을 유혹하듯 온 꽃잎을 뒤집습니다. 수술 역시 꽃 밖으로 튀어나와 한껏 도도하게 눈썹을 치켜세우고 있습니다. 이른 아침 정성 들여 세워올린 속눈썹마냥 곡선이 아주 멋집니다. 게다가 강렬한 붉은 색입니다. 치켜 뜬 모습이 건방져 보이다가도 무얼 저리 애원하는가 싶어 애처롭기도 합니다.

쨍한 해가 기울고 서늘한 바람이 한 번씩 튀어나올 무렵 꽃이 피었습니다. 정말 볼 품 없이 수수깡같이 줄기가 쑥쑥 올라오더니 일곱 밤 만에 눈썹을 치켜 올리지 뭐예요! 꽃이 피는 동안은 잎이 나지 않아 한 몸인데도 불구하고 서로 만날 수 없는 운명의 식물이라 그런지 꽃들만이 화려했습니다.

다소 요사스러운 꽃 모양이 신기하여 베란다를

들고나며 쓰다듬었더니 이런, 스펀지마냥 보드라운 줄기가 꺾여버렸습니다. 세심하지 못한 주인 손에 제 명보다 일찍 고개를 숙인 후 잎이 돋아났습니다. 빨대처럼 가는 잎사귀들에게 물을 주고 햇빛을 쬐게 하는 동안 튼튼해지기는커녕 잎이 자꾸 드러누웠습니다. 물을 주고는 찬바람을 쐬지 말았어야 할 것을 이른 한파가 온 날 베란다 문 밖에 두어 얼어버린 것이었습니다. 꽃도 잎도 제 명보다 일찍 고개를 숙인 것입니다.

노상의 식물보다 실내에서 자라는 식물은 훨씬 연약한 모습입니다. 환경에 맞추어 강인하기보다는 부드럽게 자라는 친구들에게 계절의 변화를 있는 그대로 받아들이도록 한 것이 잘못이었습니다. 집안에 가두어놓고 야생의 매력까지 갖추도록 욕심을 부렸습니다. 언제나 과욕은 화를 부릅니다.

꽃무릇의 말

- 우리는 이루어질 수 없어요.

흰 꽃 나도 사프란 이야기

수천 개의 암술을 말려 겨우 몇 방울의 향을 뽑는 세상 가장 비싼 향신료의 재료인 꽃이랍니다. 개 중에 하얀 꽃이 피는 친구이지요. 정말 부추랑 똑 닮았습니다. 예쁜 화분에 심어놓으니 엄청 비싼 부추인가 싶었습니다. 아마 진짜 부추도 이리 따로 심어 관리하면 달리 보이지 않을까요?

하늘거리고 날씬하고 그러면서도 전체적으로 풍성한 덩치가 마음에 들었습니다.(나는 대체로 날씬한 친구들을 좋아하나봐요) 그리고 알록달록하기보다 초록과 하얀 색만으로 깨끗한 느낌을 주어 좋았습니다. 그런데 이 깨끗함에 응애벌레가 끼어들었습니다. 가느다란 가는 줄기에 붙어 뭐라도 빨아먹겠다고 이 꽃 저 꽃 모두를 귀찮게 하고 있었습니다. 살충제를 뿌리자니 꽃들이 다 시들듯 하여 일일이 손톱으로 긁어냈습니다. 사정없이 잎들을 제쳐가며 해치웠습니다. 나는 다 없앴다는, 더구나 아주 친환경적으로 해치웠다는 만족감에 뿌듯해했는데 사프란의 잎들과 꽃줄기는 짓이겨져 있었습니다.

여리여리한 몸짓에겐 너무 억센 손길이었지요. 살살 족집게로 제거할 것을 완전 박멸을 향한 거침없는 손길로 또 다른 아픔을 안겨주었던 겁니다. 어쩜 스스로도 잘 이겨냈을 수도 있는데 말입니다. 사프란 스스로의 힘도 믿어볼 걸 그랬습니다. 매번 나의 속도는 너무 앞서갑니다.

흰꽃나도사프란의 말
- 우리 정말 순수해요.

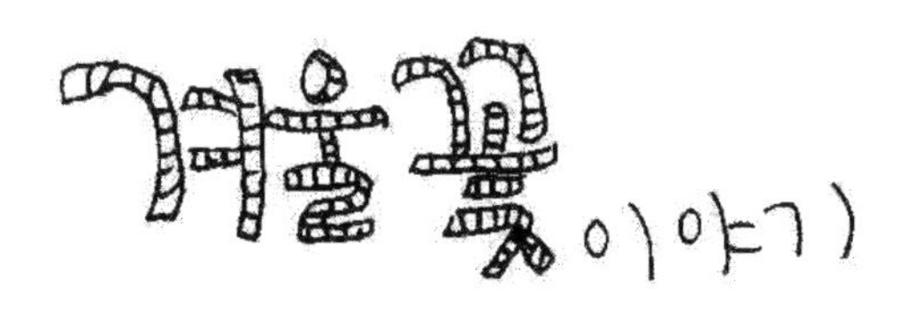
겨울꽃 이야기

사초이야기

화려한 꽃이 아닌 풀이 주는 고요함이 있습니다. 뽐내지도 않지만 주눅이 들지도 않습니다. 이만큼 자리를 차지하면서도 남의 시선을 방해하지 않습니다. 그러면서 여백도 가득 채워줍니다.

발길에 밟히고 길가에 흩뿌려져 있던 풀들이 고급스러워졌습니다. 이제는 환경적으로도 보기가 힘들게 되기도 했습니다. 이런 게 인생사 새옹지마일까요? 이 친구들이 환영받고 대접받을 줄은 생각지 못했더랬습니다. 억새, 갈대, 수크령, 방동사니, 털수염풀, 골풀, 팜파스 그라스...... 이제는 길게 뻗은 시원스러움과 자유스런 흔들거림을 무기로 사람들의 마음을 빼앗습니다. 심미적 혜안이 화려함에만 동하는 것이 아닌가 봅니다.

늦가을, 단지 뚜껑에 심어 두었던 털수염풀이 한껏 초록을 자랑하다가 염색을 시작

했습니다. 은빛으로 흙빛으로 색들이 들쭉날쭉해지고 잎들이 골골 말라가고 있었습니다. 그래서 윤기 없는 사람 머리채를 움켜잡듯 한 움큼 쥐어잡고는 뜯었습니다. 분풀이하듯 이쪽 저쪽을 쥐어뜯었습니다. 죽일듯이 덤벼들어 상처를 냈습니다. 내년에 더 말갛고 이쁘게 태어나라고 죽이면서 살리는 것입니다. 동면에 들어가기 전에 미리 이발도 시키고 세수도 시키는 것이지요. 아마 내년엔 무거운 짐 없이 아주 가볍게 새순을 틔울 것입니다.

상처와 허물을 벗겨내야 성장을 합니다. 그래야 자신만의 풍경을 오래 만들어 갈 수 있을테지요. 털수염풀의 머리칼에 상처를 내면서 나는 이 친구의 새로운 풍경을 응원합니다.

사초의 말

- 나는 강인합니다.

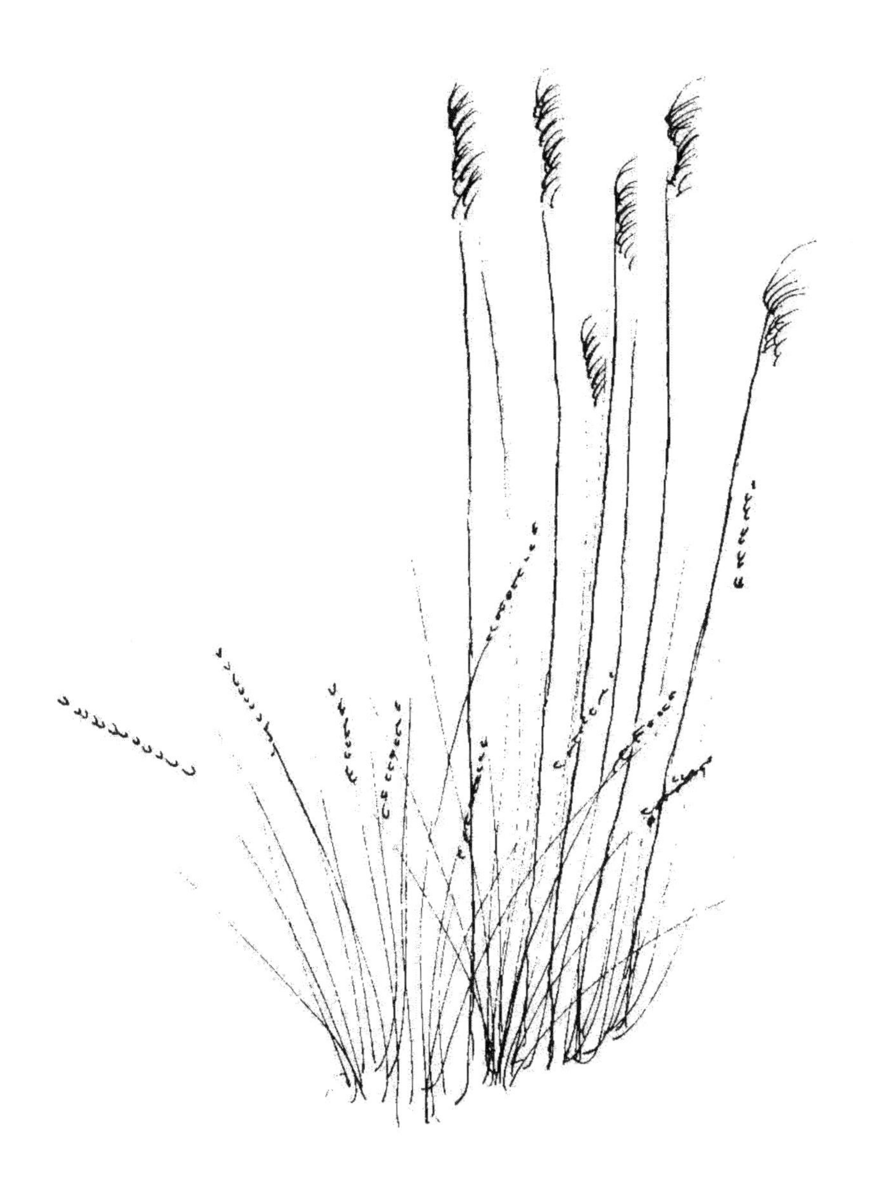

포인세티아 이야기

빨간 잎이 꽃인 척 눈을 현혹시킵니다. "나 좀 봐라"를 맘껏 시전하며 사람들의 마음을 겨울 특히, 성탄절에 낚아챕니다. 어쩌다가 떨구어버린 잎 너머로는 하얀 눈물도 뚝뚝 흘리면서 "호 해줘"도 요구합니다. 참으로 요망한 꽃 아니 잎이 아닐 수 없습니다. 이 친구는 해가 짧아져야 잎이 불타오릅니다. 마치 태양보다 자기가 더 열정적이라고 외치는 것처럼 말입니다. 그래서 짙은 빨강 가짜 꽃을 겨울에 피우는 것이지요. 참, 사람을 유혹하는 재주가 갖가지입니다.

볕이 잘 드는 창가에서 여름도 보내고 가을도 보내서 그런가 빨강색이 숨어들었습니다. 그리고 새 잎들도 끝이 돌돌 말려 기지개를 펴지 못하고 있었습니다. 전혀 포인세티아 답지 않았습니다. 그래서 이제라도 나홀로 외롭게 구석진 자리에 큰 바가지를 씌워 놓았습니다. 컴컴하고 고립된 곳에서 매력 발산을 위한 담

곰질을 하라고 뒤늦은 배려를 했습니다. 일년의 끝자락에서야 빨간 심장으로 자신의 진짜 모습을 드러내게 되었습니다. 하마터면 이 아찔한 유혹을 놓칠 뻔했습니다.

모두의 전성기는 같지 않습니다. 각자의 시간대로 각자의 방법으로 노력해서 맞이합니다. 나는 그 노력을 존중해야 했습니다. 생명을 온전하게 자신의 모습대로 키우는 것은 "내 식대로"가 아닌 "네 식대로"여야 합니다.

포인세티아의 말

- 당신을 축복하며 행운을 빕니다.

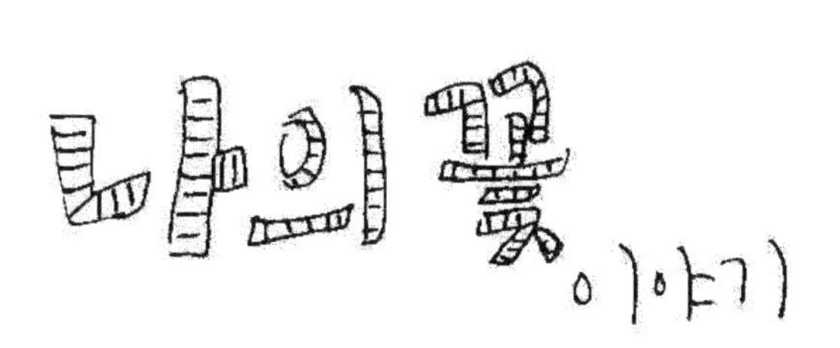
나의꽃 이야기

'너'라는 꽃이야기

"이걸 꽃이라고 피우니?"
처음부터 창을 치켜들었습니다. 내가 오늘 기어이 너를 무릎 꿇리고 말겠다는 의지로 창을 휘저었습니다. 기말고사가 끝난 뒤 왕왕 일어나는 일입니다. 노력하지 않은 행동에 따른 결과를 예상하지 못 했을 리 없습니다. 그래서 나는 "내가 더 속상하다고"라는 핑계를 들어주고 싶지 않습니다. 물론 나의 성적이 좋았을 리 만무합니다. 겪어보니, 하지 않았던 노력의 결과가 인생에 꽤나 큰 영향을 끼친다는 걸 알게 되었거든요. 그래서 더 다그치나 봅니다. 네 시간은 쉬이 허비하지 말라고.

결국은 눈물과 욱박지름과 혈압 상승으로 마무리를 합니다. 이 반복이 소용없는 짓인 걸 잘 압니다. 그래도 또 해야 한다고 생각합니다. 쓸데없이 웃자라면 냉정히 싹둑 베어야하고 제대로 모습을 갖추지 못한 가지는 쳐내야 더 단단하고 이쁘게 자라더라구요.

그래도 상처를 주면서 건져내기도 같이 합니다. 어떤 순간은 미리 귀뜸이라도 해 주어야 하는 것이 부모의 존재 이유라고 생각합니다. 그런데 항상 나는 너무 지나칩니다. 경솔하고 날카롭습니다. 그렇게 나의 작은 꽃-'너'란 꽃의 가지 하나를 꺾었습니다. 그리고는 비겁하지만 내 행동을 정당화하면서 '너'란 꽃에 비료를 줍니다. 살살 어루만져 봅니다.

이제 양껏 '너'란 꽃에 그늘을 지우며 곧게 뻗었었던 나의 줄기를 들춰 봅니다. 그 아래 연약한 '너'란 꽃에게 나의 욕심을 사과하며 햇빛 한 줌 내어주려 합니다. 나의 욕심과 독선이 씻겨 내려가길 빌면서 이 결심이 변치 않았으면 좋겠습니다.

'너'라는 꽃의 말

- 쑥쑥 자랄 거예요.

지켜보세요!

'나'라는 꽃 이야기

'어떤 향을 뿜을까?', '어떤 색을 낼까?', '어떤 모습을 할까?' 하는 고민하지 않았습니다. 다른 꽃들은 어떻게 피고 지는지 관심 갖지 않았습니다. 내가 꽃이라고 생각도 하지 않았습니다. 그런데 하루 하루를 쌓아가다 보니 나도 꽃을 피울 준비를 하더라구요. 계획하지 않았는데도 잎사귀를 틔우고 꽃눈을 맺었습니다. 그러니 욕심이 생겼습니다. 이왕지사 다홍치마!

욕심을 부린 이후 나를 가꾸는 건 8할이 남의 시선이었습니다. 그러다보니 점점 더 잎이 오그라들었습니다. 시원스레 내뻗지 못하고 자꾸 아래로 고꾸라졌습니다. 모습도 자꾸 변했습니다. 이럴 수가! 햇볕도 좋고 바람도 좋고 모든 게 좋은 날 억울한 생각이 들었습니다. 이 모든 좋은 것을 두고 난 왜 위로만 치켜세우려 생각을 했을까요?

나는 햇빛보다 바람이 좋았습니다. 그래서 바람을 따라 춤추기 좋게 몸을 나풀거렸습니다. 내 몸에 힘이 빠지고 모습이 자연스러워졌습니다. 그렇게 틈이 나니 나의 가지가 남과 겹치지 않게 나고 그늘에서도 잘 자랄 수 있게 되었습니다. 빛이 많은 곳에서만 꽃이 활짝 피는 건 아니었습니다.

이제는 남의 시선에 주눅들지 않습니다. 나 역시 다른 꽃에 입을 보태지 않습니다. 다들 힘겹게 꽃 피우려 한다는 사실을 알기 때문입니다. '나'라는 꽃은 이렇게 자라고 있습니다. 얼마 동안 꽃을 피울지, 언제 잎이 쓰러질지는 아직 모릅니다. 적어도 '나'라는 꽃이 어떤 모양으로 피고 있는지는 알고 있습니다. 내가 의도하지 않아도 우리는 모두 꽃인가 봅니다.

'나'라는 꽃의 말

- 나도 꽃 피우고 있습니다.

언제나 꽃이었습니다.

맺는 말

결국 식물을 키우는 건 '정성'입니다. 그리고 죽이는 건 '과욕'과 '무관심'입니다. 물 주는 것 그거 하나 때문에 생명이 좌지우지됩니다. 어렵지 않았는데도 어려운 일이었습니다. 나 아닌 다른 무언가에게 내 시간과 정성과 노력을 들이는 건 참으로 엄청난 일이었습니다.

오늘도 창문을 열고 바람길을 내어주었습니다. 이파리가 살랑 살랑 흔들렸을 뿐인데 노랫소리까지 들리는 듯 했습니다. 내 마음 한 켠에 다른 무언가를 위한 자리를 두면 그곳에 여유와 행복이 채워졌습니다. 덕분에 나는 여백의 진가를 아는 멋진 사람이 되어가고 있습니다.

여러 감정들이 쏟아대는 홍수 속에서 나를 다스리고 인내해야 할 때 이런 침묵의 친구가 주는 위로의 말이 참으로 귀합니다.

나는 오늘도 죽였습니다
지은이 **우아아줌마**
발 행 2024년 05월 30일
펴낸이 한건희
펴낸곳 주식회사 부크크
출판사등록 2014.07.15.(제2014-16호)
주 소 서울특별시 금천구 가산디지털1로 119 SK트윈타워 A동 305호
전 화 1670-8316
이메일 info@bookk.co.kr

ISBN 979-11-410-8531-5

www.bookk.co.kr